Colección libros para soñar

Título original: ***little blue and little yellow***

Avión Cuatro Vientos, 7 - 41013 Sevilla
Telefax: 954 095 558
andalucia@kalandraka.com
www.kalandraka.com

Impreso en Gráficas Anduriña, Pontevedra
Primera edición: septiembre, 2005
Quinta edición: junio, 2010
ISBN: 978-84-96388-25-3
D.L.: SE-2849-05

Pequeño Azul y Pequeño Amarillo

Leo Lionni

Traducción de Pedro Ángel Almeida

kalandraka

Este es Pequeño Azul.

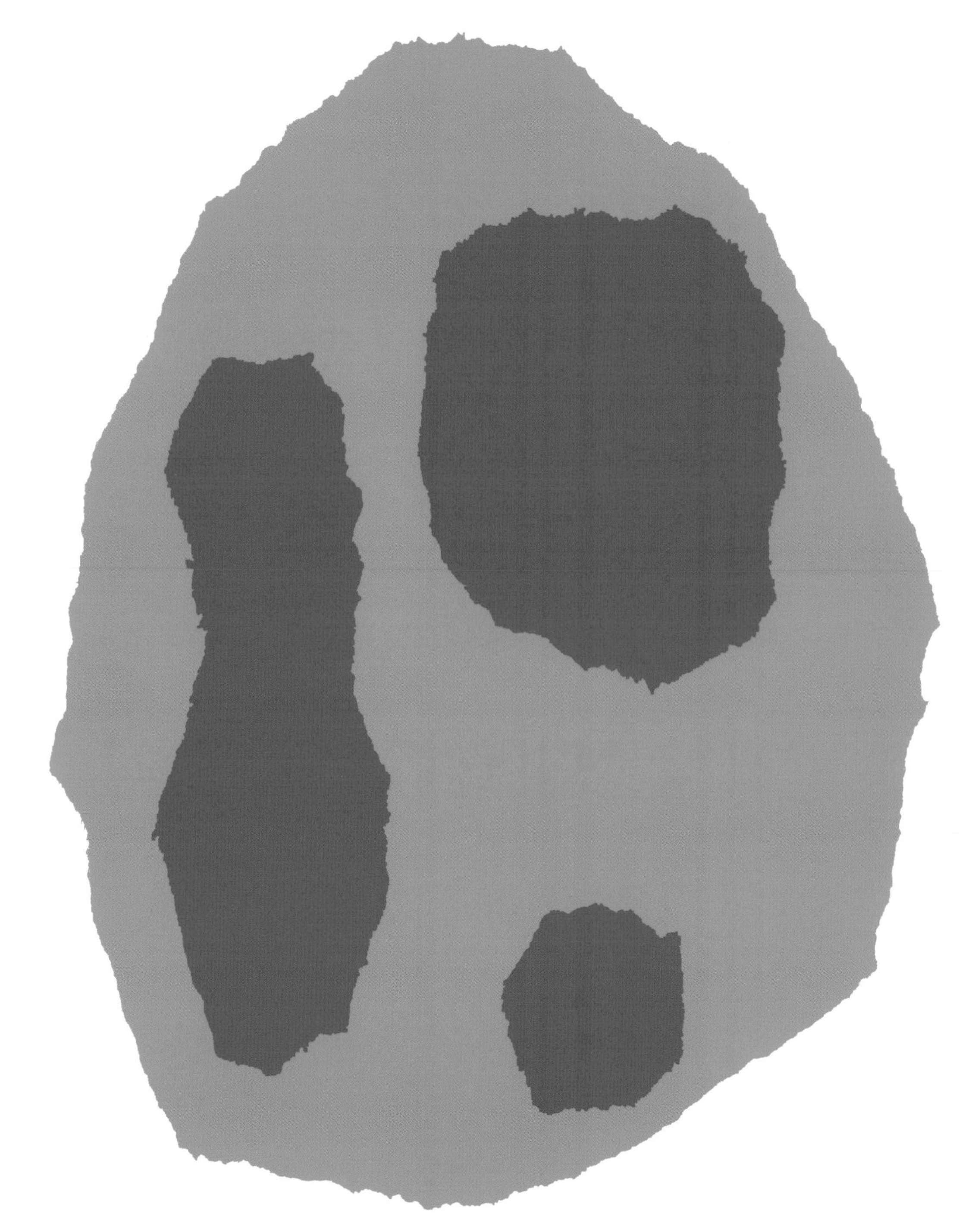

Está en su casa con Mamá Azul y Papá Azul.

Pequeño Azul tiene muchos amigos.

Su mejor amigo es Pequeño Amarillo,

que vive en la casa de enfrente.

Les gusta jugar al escondite

y al corro.

En clase, están tranquilos y atentos.

Después de clase corren y saltan.

Un día, Mamá Azul le dijo: «Tengo que salir. Espérame en casa».

Pero Pequeño Azul fue a buscar a Pequeño Amarillo a la casa de enfrente.

La casa estaba vacía.

¿Dónde estaría Pequeño Amarillo? Lo buscó por aquí,

lo buscó por allá,

lo buscó por todas partes... hasta que, de pronto, a la vuelta de la esquina...

¡Allí estaba Pequeño Amarillo!

Muy contentos, se abrazaron.

Se abrazaron tan fuerte...

...que se volvieron verdes.

Después, fueron al parque a divertirse.

Se metieron en un túnel.

Corrieron tras Pequeño Naranja.

Subieron a una montaña.

Y cuando ya estaban muy cansados,

volvieron a casa.

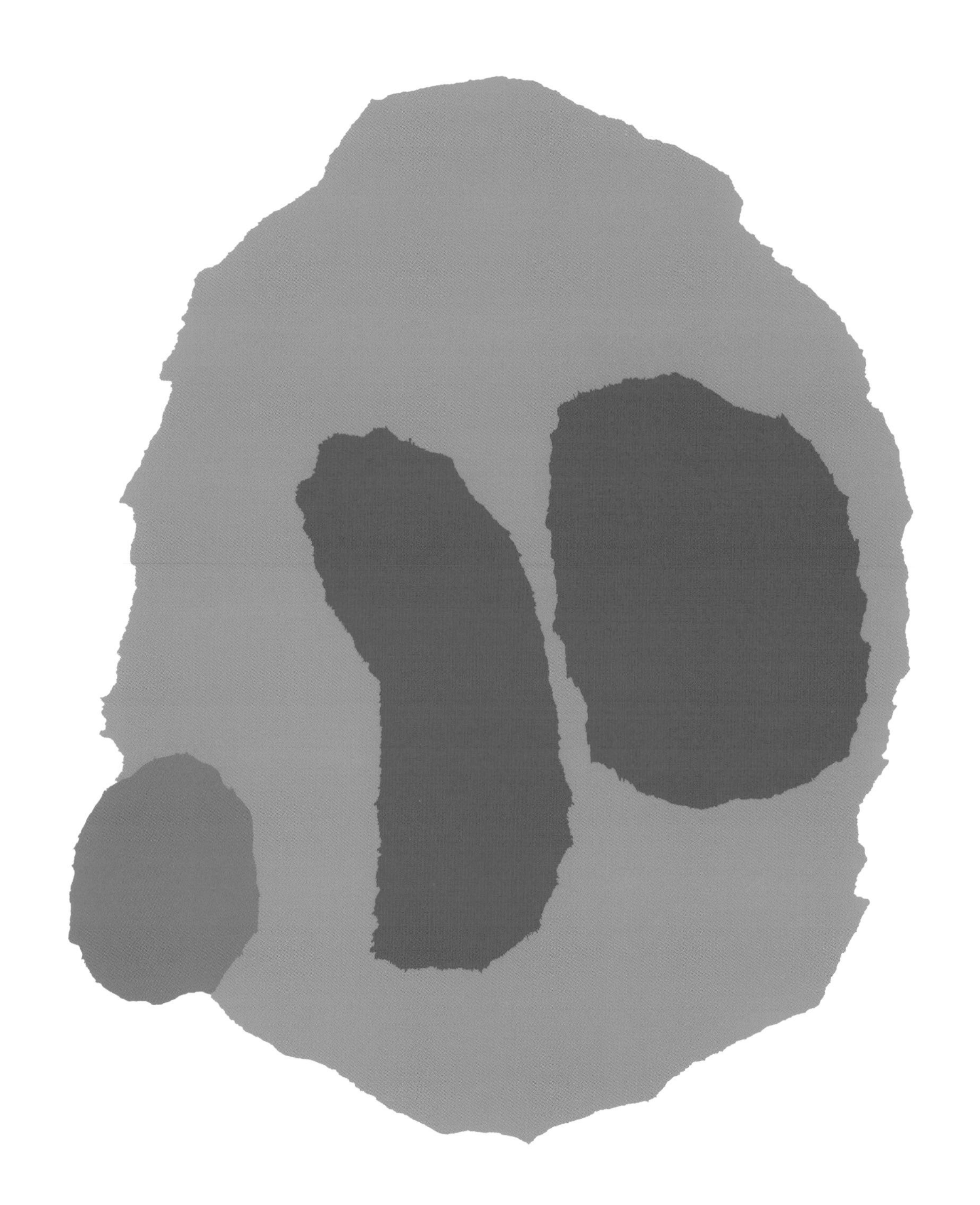

Pero Papá Azul y Mamá Azul dijeron:
«¡Tú no eres nuestro Pequeño Azul. Tú eres verde!».

Papá Amarillo y Mamá Amarillo dijeron:
«¡Tú no eres nuestro Pequeño Amarillo. Tú eres verde!».

Pequeño Azul y Pequeño Amarillo estaban muy tristes
y se echaron a llorar.

Lloraron y lloraron
hasta deshacerse en lágrimas azules y amarillas.

Cuando por fin se recuperaron volvieron a ser como antes.

«¿Nos reconocerán ahora?».

Mamá Azul y Papá Azul se alegraron mucho
al ver de nuevo a su Pequeño Azul.

Lo abrazaron muy fuerte.

También abrazaron muy fuerte a Pequeño Amarillo.
¡Y en el abrazo también ellos se volvieron verdes!

Entonces comprendieron lo que había pasado,

y fueron corriendo a la casa de enfrente para darles la buena noticia.

Todos se abrazaron con alegría.

Y los niños jugaron hasta la hora de cenar.

f i n

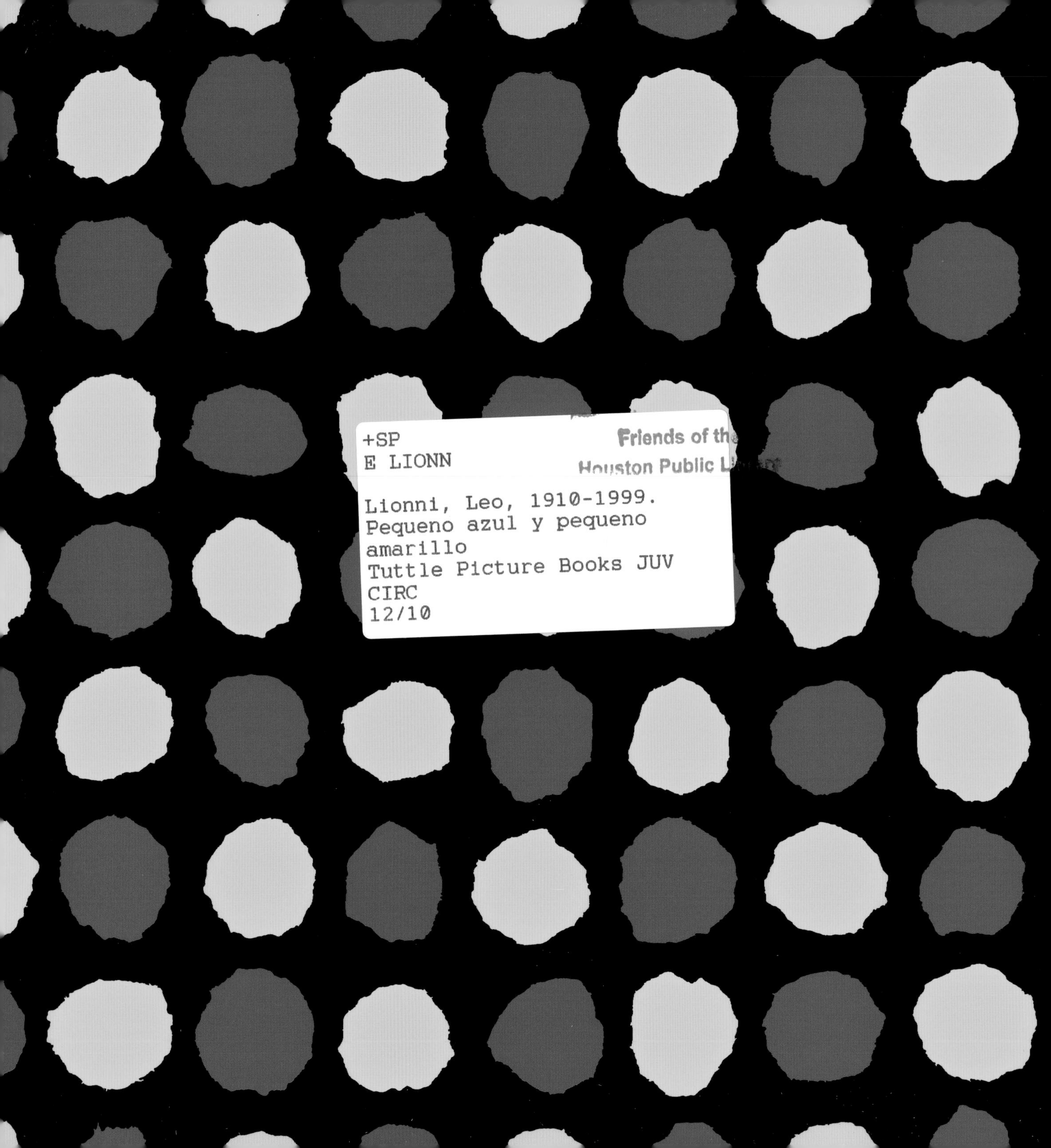